D1161464

LOS TRES CERDITOS YOGUIS
Y EL LOBO QUE PERDIÓ LA RESPIRACIÓN

Un cuento para hacerte sentir mejor

Texto: Susan Verde
autora superventas del *New York Times*

Ilustraciones: Jay Fleck

Para mi Sophia... por TODOS los motivos
S. V.

Para Suzzane
J. F.

Puedes consultar nuestro catálogo en www.picarona.net

Los tres cerditos yoguis y el lobo que perdió la respiración
Texto: *Susan Verde*
Ilustraciones: *Jay Fleck*

1.ª edición: marzo de 2021

Título original: *The Three Little Yogis and the Wolf Who Lost his Breath*

Traducción: *Raquel Mosquera*
Maquetación: *Montse Martín*
Corrección: *Sara Moreno*

Edita: Picarona, sello infantil de Ediciones Obelisco, S. L.
Collita, 23-25. Pol. Ind. Molí de la Bastida
08191 Rubí - Barcelona
Tel. 93 309 85 25
E-mail: picarona@picarona.net

ISBN: 978-84-9145-439-7
Depósito legal: B-2.771-2021

Impreso por ANMAN, Gràfiques del Vallès, S. L.
c/ Llobateres, 16-18, Tallers 7 - Nau 10. Polígono Industrial Santiga
08210 - Barberà del Vallès (Barcelona)

Printed in Spain

Érase una vez,
un lobo que perdió
su soplido

y su bufido.

Como puedes imaginar,
eso era un problema para el lobo…,
un TERRIBLE y GRAN problema.

Verás, a veces, el lobo se enfadaba (lo que nos pasa a todos de vez en cuando). Había muchas razones por las que se sentía así.

A veces se enfadaba cuando tenía que compartir…,

cuando le costaba hacer algo difícil…,

cuando estaba preocupado…

o cuando tenía hambre.

Y a veces no estaba seguro
de *por qué* estaba enfadado.

Lo que sí sabía era que, cuando estaba enfadado, lo único que parecía hacerle sentir mejor era soplar y bufar y derribar cosas.

Derribaba vallas y casas

y cualquier cosa que apareciera en su camino

causando problemas allá donde iba.

Pero, en realidad, el lobo no se sentía mucho mejor después de soplar y bufar.

De hecho, cuando veía lo atemorizados que estaban los demás después de que derribara algo, se sentía incluso peor.

Pero no sabía qué otra cosa podía hacer.

Una mañana, cuando el lobo quería desahogarse, se encontró con una pequeña yogui que estaba saludando al sol junto a su choza de paja, estirando los brazos hacia el cielo para saludar al nuevo día.

El lobo vio lo tranquila que parecía la pequeña yogui, pero él no se sentía tranquilo en absoluto.

Su corazón y su mente se aceleraron, tenía calor y se sentía incómodo.

Se moría de ganas de soplar y bufar y derribar la choza de la pequeña yogui hasta convertirla en un montón de paja.

Así que el lobo abrió mucho
la boca e intentó soplar.

Lo intentó con cosas grandes
y con cosas pequeñas, con cosas
pesadas y con cosas ligeras,
pero nada sucedió.

En lugar de eso, ¡lo único
que le salió fue un silbido y tos!

La pequeña yogui oyó al lobo silbando y se apresuró a ayudarlo. No parecía tenerle ningún miedo.

—Lobo, respira lenta y profundamente –dijo la yogui.

—No... no... puedo –dijo el lobo sin aliento–. He perdido mi soplido y mi bufido.

—Meditemos sobre eso –dijo la yogui–.
Tal vez necesites practicar un poco de *respiración abdominal.*
Cierra los ojos y coloca las patas sobre la barriga.
Ahora inspira a través del hocico
y siente cómo tu barriga y tus patas se elevan.

—Ahora espira y siente cómo tu barriga y tus patas descienden. Continuemos poco a poco.

A medida que el lobo
sentía que su barriga subía
y bajaba, su respiración
se hacía más lenta
y más profunda.

Pero justo cuando empezaba a sentirse más calmado…

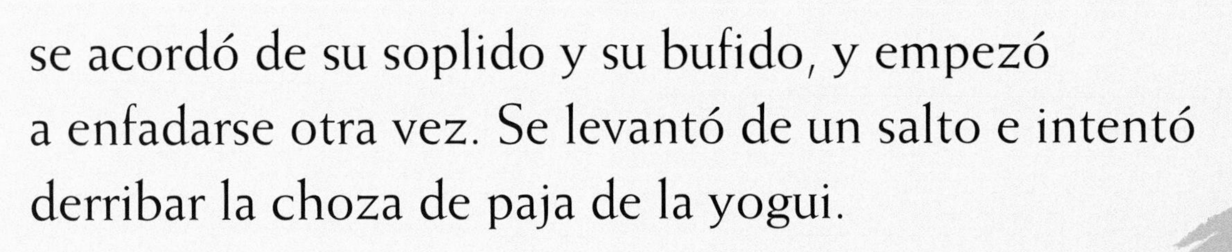

se acordó de su soplido y su bufido, y empezó
a enfadarse otra vez. Se levantó de un salto e intentó
derribar la choza de paja de la yogui.

¡Sin suerte!

Para sorpresa del lobo, la pequeña yogui
no salió corriendo. En lugar de eso, dijo:

—Tengo una idea. Y tomó al lobo de la pata.

Al cabo de poco tiempo llegaron a la casa de madera del segundo yogui, que estaba en plena sesión de yoga al atardecer.

Le observaron reír y menear su rabito en el aire mientras se estiraba en la postura del perro boca abajo

y después alargar el cuerpo haciendo una impactante plancha, tan recta como las vigas de madera de su casa.

Mientras la primera yogui explicaba la situación, el lobo notaba cómo volvía a sentirse tenso y frustrado de nuevo.

Las garras se le retorcieron y el cuerpo se le puso rígido.

Abrió mucho la boca e intentó derribar la casa de madera del segundo yogui, pero una vez más, sólo silbó y tosió.

—He perdido mi soplido y mi bufido –dijo.

—Meditemos sobre eso –dijo el segundo yogui–.
Siéntate en la *postura de la mariposa.*
Le enseñó al lobo cómo doblar las rodillas
y juntar las plantas de las zarpas.

—Tal vez necesites practicar un poco de *respiración refrescante.*
Cierra los ojos y abre la boca.
Saca la lengua e inspira lentamente.
Siente cómo el aire frío entra en tu boca y en tu cuerpo.
Ahora cierra la boca y espira por el hocico.
Continúa, poco a poco.

El lobo empezó a relajar el cuerpo y la mente.
Pero justo cuando empezaba a sentirse más calmado…

se acordó de que había perdido
su soplido y su bufido, y empezó
a enfadarse otra vez. Se levantó de
un salto e intentó derribar la casa
de madera del yogui.

¡Sin suerte!

Una vez más, para sorpresa del lobo, en lugar de salir corriendo, el segundo yogui dijo:

—Ya sé dónde deberíamos ir.

Los dos yoguis tomaron al lobo de las patas y caminaron con él bajo el sol del atardecer.

Al poco tiempo, llegaron
a un estudio de yoga adornado
con coloridos ladrillos.

Dentro, un tercer yogui estaba en la *postura de la media luna*.

Salió y reparó en el lobo exhausto.

—¿Qué te pasa? –le preguntó.

El lobo estaba sorprendido; en realidad, nadie le había preguntado eso nunca.

—Quiero derribarlo todo, pero he perdido mi soplido
y mi bufido –contestó el lobo sin aliento.

—*¿Por qué* quieres derribarlo todo? –preguntó el tercer yogui.

De nuevo, el lobo se sorprendió. Esa pregunta también era nueva.

—Porque cuando me enfado, creo que soplar
y bufar me hará sentir mejor.

—¿De verdad te hace sentir mejor?

—Sólo por un instante. Lo derribo todo, pero después todo el mundo huye de mí. No me gusta que los demás me tengan miedo. Pero sin mi soplido y mi bufido, no sé qué otra cosa puedo hacer.

—Meditemos sobre eso –dijo el tercer yogui–.
Tal vez necesites practicar un poco de *respiración soportada.*
Siéntate apoyando tu espalda contra la mía.
Cierra los ojos y percibe cómo el aire se mueve en tu espalda.
¿Puedes sentir cómo llena mi espalda también?
Ahora inspira y espira por el hocico.
Intenta seguir el ritmo de mi respiración.

Bajo la resplandeciente luz de la luna, el lobo y los yoguis practicaron la respiración juntos, espalda contra espalda, lentamente.

Al poco rato, el lobo empezó a inspirar y espirar más profundamente. Entonces sucedió algo

El lobo se sentía diferente.
No se sentía tenso ni frustrado.
Se sentía tranquilo.

Bajo la luz de las estrellas, los tres yoguis enseñaron al lobo aún más formas de relajarse y respirar…

hasta que, al fin, hicieron la postura savasana.

A partir de entonces, cuando el lobo se enfadaba,
o se ponía triste, o se asustaba, o se preocupaba
(lo que nos pasa a todos de vez en cuando),
ya sabía qué tenía que hacer.

—Puede que haya perdido mi soplido
y mi bufido –dijo el lobo–, pero he *encontrado*
mi respiración.

Nota de la autora

Al igual que el lobo, todos sentimos ganas de soplar y bufar de vez en cuando. Pero con la ayuda de sus amigos, el lobo aprendió nuevos trucos que le ayudaban a calmarse y sentirse mejor. Si alguna vez TÚ sientes que necesitas soplar y bufar, puedes respirar y hacer las posturas como los tres yoguis y el lobo. ¡Prueba los ejercicios que aparecen en esta historia y los nuevos que te cuento a continuación!

Consejo de yogui: Al hacer estos ejercicios, recuerda siempre inspirar por la nariz (o el hocico); ese tipo de respiración le dice a tu cuerpo que se calme. Asegúrate también de dedicar el tiempo suficiente en cada ejercicio para sentirte mejor y más tranquilo.

Ejercicios de respiración

Respiración abdominal: Acostado boca arriba con el cuerpo relajado como un espagueti cocido, coloca una mano sobre tu barriga. Mientras inspiras por la nariz, siente cómo tu barriga se llena de aire, haciendo que tu mano se eleve. Cuando espires, siente cómo baja tu barriga. Incluso puedes colocar un animalito de peluche en tu barriga e imaginar que le estás dando un paseo relajante mientras tu barriga sube y baja.

Respiración de la abeja: Con los ojos cerrados y las manos tapándote los oídos, inspira lentamente por la nariz y, al espirar, haz un zumbido. Sentirás vibraciones en los labios y la cabeza que pueden ser muy relajantes.

Respiración de la ballena: Como si tuvieras el tamaño de una ballena, inspira lenta y profundamente por la nariz y aguanta la respiración mientras cuentas hasta cinco. Luego, expulsa todo el aire por la boca (o espiráculo).

Posturas

Postura de la mariposa: Siéntate con las rodillas dobladas y las plantas de los pies tocándose. Imagina que eres una hermosa mariposa. Tus piernas y rodillas dobladas forman tus alas. Puedes moverlas dando botecitos muy suaves y cerrar los ojos mientras piensas en lo que podrías ver si fueras una mariposa flotando en el aire.

Postura del niño: Empieza de rodillas, con los dedos de los pies tocándose y las rodillas abiertas. Siéntate sobre los talones e inclínate hacia adelante hasta que la frente toque el suelo. Deja que los brazos descansen a los lados o estíralos hacia delante. Si no puedes sentarte completamente sobre los talones, coloca una almohada o un cojín debajo de la frente para ayudar. Cuando tu frente descansa sobre algo, como el suelo o una almohada, tu cuerpo se relaja de inmediato.

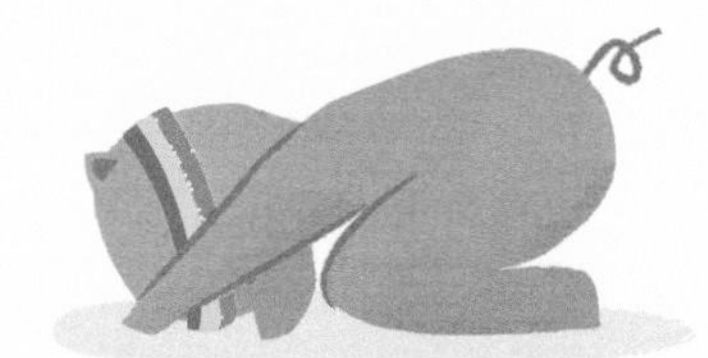

Savasana: El lobo y los tres yoguis quieren asegurarse de que practiques savasana cada vez que hayas terminado con tus otros ejercicios de movimiento y respiración. ¡Es la postura más importante de todas! Se trata de relajarse. Acuéstate boca arriba e imagina que todo tu cuerpo se vuelve suave y blando como si te estuvieras hundiendo en arena templada. Deja que todas tus preocupaciones se alejen flotando mientras inspiras por la nariz y permaneces tumbado. ¡Puedes cerrar los ojos y contar tus respiraciones o puedes abrir los ojos y mirar la luz de las estrellas, como el lobo y los tres yoguis!